Leuk toch, zo'n geintje...

en andere verhalen

Anita van den Bogaart

Leny van Grootel

Theo Hoogstraaten

Tineke Hendriks

Lydia Rood

Sjaloom, in opdracht van Stichting Kinderpostzegels Nederland

kinder
postzegels

Een sprookje dat
nog lang niet uit is

Er was eens, heel lang geleden, een groep wijze mensen die graag iets wilde doen voor kinderen. Veel kinderen hadden namelijk hulp nodig. Ze waren ziek, hadden geen ouders meer of konden thuis niet worden opgevoed. Met wat extra geld en aandacht, zouden die kinderen goed geholpen kunnen worden. Maar waar moest dat extra geld vandaan komen? Na lang overleg werd bedacht dat er bijzondere postzegels zouden worden uitgegeven. Voor die postzegels moest iets meer betaald worden dan normaal: deze toeslag werd gebruikt om 'minder bedeelde' kinderen een kans te geven om zo goed mogelijk op te groeien en later voor zichzelf te kunnen zorgen. Zo werden in 1924 de Kinderpostzegels 'geboren'.
Vanaf die tijd wordt ieder jaar een nieuwe serie Kinderpostzegels uitgegeven, die wordt verkocht door een grote groep vrijwilligers. Al snel werden ook wenskaarten verkocht om nog meer geld in te zamelen voor kinderen die dat hard nodig hadden. En steeds weer bleek dat heel veel Nederlanders met plezier wat extra wilden betalen om bij te dragen aan dit sympathieke doel.
In de loop der jaren is er natuurlijk wel het een en ander veranderd. Na de Tweede Wereldoorlog werden kinderen van de hoogste groepen van het basisonderwijs betrokken bij het verkopen van de Kinderpostzegels en kaarten. Daardoor groeide de opbrengst sterk. Dankzij de toenemende welvaart en allerlei overheidsvoorzieningen, werd de directe nood voor kinderen in Nederland kleiner, terwijl we steeds meer te weten kwamen over de moeilijke omstandigheden waarin

kinderen in ontwikkelingslanden opgroeien. Daarom werd in de jaren '60 besloten om ook kinderen in het buitenland te laten delen in de opbrengst van de Kinderpostzegelactie.

Nu, in 1999, is het 75 jaar geleden dat de eerste Kinderpostzegels werden uitgegeven. Terugkijkend is de Kinderpostzegelactie een groot succes gebleken, waarvan het eind gelukkig nog niet in zicht is. Want nog steeds zijn er heel veel kinderen die een extra steuntje in de rug goed kunnen gebruiken. Over die kinderen gaan de verhalen in dit boek. We lezen over Tobias, die gepest wordt door zijn klasgenootjes die wel van een geintje houden en over Kai en Elzebel die in een pleeggezin wonen. Over Timar, die weg moet vluchten uit zijn land en straks weer de draad van zijn leven moet oppakken en - dichter bij huis - over Kim, wier ouders steeds ruzie maken. Tenslotte ontmoeten we de wereldwijze Rodney, die tijdens zijn vakantie in het buitenland ontdekt hoe het is om heel erg arm te zijn. Allemaal situaties die niet zo gemakkelijk zijn, maar die helaas wel vaak voorkomen. Ook wordt duidelijk dat, met begrip en hulp van anderen, al deze kinderen toch op hun pootjes terecht kunnen komen. Met de opbrengst van de Kinderpostzegelactie kan die hulp echt worden gegeven.

Alle kinderen houden van een mooi, spannend, grappig of ontroerend verhaal. De verhalen in dit boek zijn geschreven in opdracht van de Stichting Kinderpostzegels Nederland. Ze zijn niet alleen leuk om te lezen, maar maken ook duidelijk waarom de Kinderpostzegelactie nog steeds nodig is. Een deel van de verkoopprijs van dit boekje is bestemd voor de kinderen uit deze verhalen. Ik wens je veel leesplezier.

Dorine Rijkers
directeur Stichting Kinderpostzegels Nederland

Leuk toch, zo'n geintje...

Anita van den Bogaart

Nerveus sjokte Tobias achter het groepje kinderen aan. Het licht van zijn zaklantaarn danste voor zijn voeten uit. Het was donker om hem heen, stikdonker. En er waren geluiden. Véél geluiden.

Ritselende bladeren, krakende takjes, geschuifel, gekrijs hoog in de zwarte lucht, gefladder vanuit de bomen...

Tobias stapte wat sneller door, zodat hij vlak achter de anderen liep en trapte daarbij per ongeluk op de hielen van Fred.

'Sorry,' mompelde hij.

Fred draaide zich verontwaardigd om en scheen zijn zaklantaarn in Tobias' ogen. 'Kun je niet uitkijken, Dombo!' snauwde hij. 'Je loopt veel te dicht achter ons. Hou eens wat afstand man!'

'Ja!' bemoeide Lennard zich ermee. 'Zo'n metertje of honderd bijvoorbeeld!'

Tobias hield zijn pas een beetje in, zodat hij wat achterop raakte. Traag volgde hij het springende licht van zijn lantaarn en vroeg zich af wie ooit op het onzinnige idee van schoolverlaterskampen was gekomen. Een regelrechte ramp, dat was het.

Een levend skelet - op de rode sportschoenen van meester Ben - sprong plotseling vanachter een boom tevoorschijn. De meiden en Tobias gilden. Tobias kon zichzelf wel wat doen. Hij had zich nog zó voorgenomen niet te laten merken hoe bang hij was.

Fred trok de drie kinderen die bij hem liepen wat dichter naar zich toe. 'Ik heb een gaaf plan voor Dombo,' fluisterde hij.

'Wat dan?' vroeg Lennard. Zijn ogen schitterden al bij het vooruitzicht.

'Wacht maar af,' fluisterde Fred.

Bij het volgende vlaggetje sloeg Fred een zandpaadje in naar rechts.

'Hee,' reageerde Esmi. 'Moeten we hier wel in? Volgens mij wijst het vlaggetje rechtdoor... au!' Fred stompte haar niet al te zachtzinnig tegen haar schouder.

'Ssst,' siste hij, terwijl hij haar meetrok. 'Kom nou maar gewoon.'

Fred keek om en zag hoe Tobias aarzelend op het pad bleef staan. 'Hee Dombo, hierheen!' Hij liet zijn licht-straal op Tobias vallen. Moest je die dikzak daar nou eens zien staan. Een en al treurigheid.

Ze liepen stevig door. Ze waren nu bijna bij de twee-sprong, waar ze het pad naar links zouden nemen. Fred herinnerde zich de plek nog, van de wandeltocht op de eerste kampdag. Hij scheen met zijn zaklantaarn voor-uit. Daar was de tweesprong al.

Na een poos kwamen ze bij een open vlakte. Met in het midden een uitkijkpost. Fred rende op de uitkijktoren af.

'We gaan genieten van het uitzicht,' riep hij. 'Kom, naar boven.'

Tegen de uitkijktoren stond een houten ladder, hier en daar vastgemaakt met touw. Eén voor één klauterden de kinderen naar boven, terwijl Fred beneden de wacht hield.

'Kom op, Dombo, jouw beurt.' Hij gaf Tobias een duwtje in de richting van de ladder.

'Ik... ik ga niet naar boven,' stotterde Tobias zo zacht dat het nauwelijks hoorbaar was.

Fred hield zijn hand achter zijn oor en boog zich wat naar Tobias toe. 'Zei je wat, Dombo?'

'Ik... ga niet naar boven.'

Fred gooide zijn hoofd achterover en lachte luid.

'Ha, horen jullie dat?'

'Weet je wat,' riep Lennard vanuit de toren. 'Geef hem maar een zet, dan hijsen wij hem hier wel op.'

'Als dat maar lukt,' sneerde Fred. 'Hij weegt minstens een ton.' Hij richtte de lichtstraal op Tobias. Belachelijk, zo benauwd als die jongen keek. Wat een angsthaas. Het was om misselijk van te worden zoals die sukkel zich gedroeg.

Fred pakte Tobias ruw bij zijn arm. 'Naar boven,' snauwde hij.

Tobias wilde zich lostrekken, maar Fred hield hem stevig in zijn greep.

'Kom op Dombo, klimmen,' siste hij dreigend in Tobias' oor. 'Tenzij je wilt dat ik iets leuks voor je bedenk?'

Tobias zette een voet op de onderste tree. Hij had hoogtevrees. Hij durfde die ladder helemaal niet op. Hoe hoog was die ellendige toren eigenlijk?

Hij klemde zijn zaklantaarn in zijn hand, maar Fred griste het ding weg. 'Geef die maar aan mij. Die heb je daarboven toch niet nodig.'

'Schiet nou op, man,' riep Lennard van boven. 'We hebben niet de hele nacht de tijd.'

Voorzichtig zette Tobias een voet op de volgende tree. Onder vervaarlijk gekraak werkte hij zich langzaam omhoog.

'Zak er niet doorheen, Dombo,' schreeuwde Esmi. 'Dan kunnen wij niet meer naar beneden!'

Eindelijk was Tobias boven. Hij kroop op zijn knieën het platformpje op en schoof naar een hoek, waar hij met zijn rug tegen de wand leunde.

Fred voegde zich bij hen. 'Wauw, wat een uitzicht.' Hun lichtstralen beschenen de open vlakte onder hen.

'Kom, we gaan weer naar beneden,' zei Fred plotseling. 'Voordat ze ons gaan zoeken.' Hij liet iedereen afdalen. Tobias schoof al naar de opening, maar Fred hield hem tegen. 'Jij gaat als laatste, Dombo. En waag het niet om ook maar één voet op die ladder te zetten voor ik beneden ben.'

'Laat hem eerst tot honderd tellen,' riep Esmi van beneden. 'Dan weet je zeker dat hij niet bovenop je stort!'

'Goed idee,' grijnsde Fred. 'Je hoort het. Hardop tellen, begrepen?'

Tobias begreep het. Hij begon te tellen.

'Vierenveertig, vijfenveertig...' Tobias wachtte even. Het was stil beneden. Verdorie, hij leek wel gek om tot honderd te tellen. Hij schoof op zijn buik en zwierde voorzichtig een been over de rand. Zijn voet zocht de ladder, maar zwaaide in het niks. Waar was die ladder nou? Hij trok zijn voet weer op, draaide zich om en keek naar beneden.

De ladder was verdwenen.

Net als de kinderen.

Angstig keek Tobias in de gapende, donkere diepte.

'Fred?'

Geen reactie. Het bleef doodstil beneden.

Tobias ging staan en keek over de rand van de uitkijktoren. Er was enkel duisternis onder hem. Ze zouden hem hier toch niet alleen achterlaten?

'Fred!' schreeuwde hij. 'Fred! Lennard!! Haal me hieruit!'

Hij tuurde in de rondte. Er was geen spoor van de anderen te bekennen.

Fred, Lennard, Esmi en Julia slopen als dieven in de nacht terug naar het pad.

'Wat een mop,' schaterde Lennard. 'Gaaf man, hoe snel jij die touwen doorsneed en die ladder liet vallen.'

Fred knipte zijn zakmes open. 'Prima mesje,' knikte hij tevreden.

Julia keek bedenkelijk. 'Wat als we straks terugkomen op het kamp? Ze zullen meteen merken dat Tobias niet meer bij ons is.'

'We verzinnen wel wat,' reageerde Fred achteloos.

Maar Julia was er niet zo gerust op. 'Stel dat ze Tobias vinden en hij vertelt dat we hem daar hebben achtergelaten?'

Fred haalde zijn schouders op. 'Maak je toch niet zo druk, die dikzak durft ons heus niet te verlinken.'

'Dat weet je nooit,' hield Julia koppig vol. 'En dan zijn we behoorlijk de pineut, geloof dat maar.'

'Wat maakt dat uit,' grinnikte Esmi. 'Over twee weken is het zomervakantie. Dan gaan we naar een andere school en hebben we niks meer met de meester te maken.'

'Zo is dat,' zei Fred en stootte Julia aan. 'Leuk toch, zo'n geintje?'

Hij zwaaide met zijn zaklantaarn en bescheen een vlaggetje. 'Deze kant op.'

Het was koud in de uitkijktoren. Tobias sloeg zijn armen om zich heen, terwijl hij tegen de wand van ronde paaltjes steunde.

Wat moest hij doen? Hij kon hier toch niet de hele nacht blijven zitten? Hij hurkte neer bij de rand en keek omlaag, de duisternis in. Zou hij naar beneden kunnen springen? Het was tamelijk hoog. In ieder geval hoog genoeg om zijn benen te breken. Maar wat dan? Wachten tot er hulp kwam? Op een gegeven moment zouden ze hem toch wel gaan zoeken?

Maar misschien kwamen ze hier wel helemaal niet. Tobias kromp ineen. Hij wilde absoluut niet de hele nacht hier blijven zitten. Dan zou hij gek worden van angst. En terwijl hij dit dacht, voelde hij diep van binnen de woede omhoogkomen. Wat dachten ze wel? Dat ze maar alles met hem konden doen? Met een nieuwe vastberadenheid tuurde hij naar beneden. Zou hij durven springen?

Plotseling scheerde een vogel vlak over zijn hoofd. Van schrik maaide Tobias met zijn armen door de lucht. Opeens verloor hij zijn evenwicht. Hij gilde en zwaaide met zijn armen, maar kon zijn val niet meer tegenhouden. Toen belandde hij met een harde doffe smak in het gras en werd alles zwart om hem heen.

'Hij bleef steeds een stukje achter,' had Fred gezegd. 'En opeens zagen we hem niet meer. We dachten dat hij genoeg had van de spokentocht en teruggegaan was naar het kamp.'

Maar nu was het vier uur 's nachts en nog steeds geen spoor van Tobias.

Meester Ben knipte de lamp aan op de slaapzalen en riep de vier kinderen bij zich.

'En nu wil ik precies horen wat jullie weten,' zei hij. 'Ik ken jullie langer dan vandaag!'

Niemand zei iets. Julia staarde naar haar voeten. Ze durfde de meester niet aan te kijken.

'Misschien is hij van de route afgedwaald,' hoorde ze zichzelf zeggen. Ze keek op en zag de giftige blik van Fred.

'Als je iets denkt te weten dat ons kan helpen, moet je het nú zeggen,' zei de meester streng. 'We maken ons heel erg ongerust om Tobias.'

Julia beet op haar lip.

'Nou?' drong de meester aan.

'Hij is in de uitkijktoren,' perste Julia eruit.

De meester fronste zijn voorhoofd en stond op. 'Ik vraag me af hoe Tobias daar verzeild is geraakt. Maar dat kunnen jullie me ongetwijfeld wel vertellen, dus hier is het laatste woord nog niet over gesproken. En nu naar bed.' Hij draaide zich om en beende het vertrek uit.

Fred gaf Julia een duw. 'Stomme trut,' siste hij woedend tussen zijn tanden.

Tobias hees zich wat omhoog in de kussens van het ziekenhuisbed. Vanuit zijn ooghoeken zag hij hoe de deur van de zaal langzaam openkierde. Een hoofd verscheen om de deur. Tot zijn verbazing zag hij dat het Julia was. Wat kwam díe hier in hemelsnaam doen?

Verlegen liep ze op het bed van Tobias toe. 'Hoi.' Ze legde een bosje bloemen op het bed.

'Eh... hoi,' mompelde Tobias.

'Ik wist niet wanneer het bezoekuur was,' zei Julia. 'Maar ik mocht van de zuster wel even naar binnen.' Ze keek naar het verband om zijn hoofd en wees naar zijn gipsen been. 'Gebroken?'

Tobias knikte.

'Wat is er met je hoofd?'

'Gehecht,' zei Tobias. 'Er zit een flinke snee in.'

'En verder?'

'Blauwe plekken. Ik zit helemaal onder. Kijk maar.' Tobias schoof de mouw van zijn pyjamajasje wat omhoog. Zijn arm was helemaal gekneusd.

'Je had wel dood kunnen zijn.'

Tobias haalde zijn schouders op. 'Ik leef nog.'

'Het spijt me,' zei Julia zacht.

'Het was een rotstreek,' zei Tobias fel. Hij keek haar aan. 'Jij hebt trouwens verteld waar ze me konden vinden hè?'

'Hoe weet je dat?'

'De meester is langs geweest.'

'O.' Julia plukte aan de deken. 'Dan weet je zeker ook dat die twee van school getrapt zijn?'

Tobias knikte. 'Ben je niet bang dat ze wraak zullen nemen omdat jij ze verlinkt hebt?'

'Dat hebben ze al gedaan.' Julia lachte schamper. 'Twee dagen na het kamp hebben ze me te pakken genomen. Ik had een bloedneus en flink wat blauwe plekken. Niet zo veel als jij hoor.' Ze schudde haar hoofd. 'Die twee leren het nooit.'

'En Esmi?' wilde Tobias weten.

'Esmi trekt toch weer met Fred en Lennard op.' Julia haalde haar schouders op. 'Ze is mijn vriendin niet meer.'

De zuster stak haar hoofd om de deur. 'Tobias moet nu weer gaan rusten,' zei ze vriendelijk.

Julia stond op. 'Dan ga ik maar.' En toen, twijfelend: 'Eh... Tobias?'

'Ja?'

'Het spijt me. Echt. Ik had er niet aan mee moeten doen.' Ze liep naar de deur, maar draaide zich weer om. 'Mag ik mijn naam op het gips zetten?'

Tobias knikte en keek toe hoe ze een viltstift uit haar jaszak viste en met zwierige letters schreef: 'groetjes, Julia'.

Toen de zuster even later binnenkwam wees ze naar de twee woorden op Tobias' been. 'Vriendinnetje van je?'

Tobias dacht even na. 'Misschien wel,' zei hij toen.

En toen kwam Elzebel

Leny van Grootel

Zo lang ik me kon herinneren woonde ik bij Mammabet, in 'Het Huis met de Blauwe Berken'. Niet dat de berken, die op een rij voor het huis stonden, echt blauw waren, hoor. Ze waren gewoon wit, net als alle andere berkenbomen. Zelfs Mammabet wist niet waar dat 'blauw' vandaan kwam. Ze had er dikke boeken op nageslagen, en erover gesproken met de oude mensen in het dorp. Maar niets of niemand kon het raadsel oplossen.

Mammabet was niet mijn echte moeder. Ze was iets tussen een oma, een tante en een moeder in. Mijn echte moeder bestond alleen nog op een foto, in een zilveren lijstje waarin gouden vlinders waren gegraveerd. Over mijn vader had niemand ooit iets vernomen.

Maar ik miste mijn ouders helemaal niet.

'Echt niet?' vroeg Mammabet wel eens.

'Echt niet,' zei ik dan altijd heel beslist. 'Hoe kan ik ze nou missen als ik ze nooit heb gekend? Ik mis de keizer van China toch ook niet?'

Natuurlijk dacht ik er wel eens over hoe het geweest zou zijn met mijn eigen ouders, maar lang stond ik er nooit bij stil. Het was ook zo gezellig bij Mammabet.

's Avonds na het eten las ze voor uit dikke boeken met prachtige platen. En soms keken we televisie, naar films over vossen en wolven, beren en leeuwen. Ja echt, ik voelde me helemaal thuis, daar in Het Huis met de Blauwe Berken. En ik dacht dat dat altijd zo zou blijven.

Op een dag kregen we bezoek. Gijsjan van de Kinderbescherming. Die kwam elk jaar een keer kijken hoe ik het maakte. Maar dit keer deed hij vreemd. Hij wilde eerst alléén met Mammabet praten. Ik snapte het niet. Piekerend zat ik op mijn kamer. Wat wilde Gijsjan? Toch niet...?

Mijn hart begon wild te kloppen. Stel je voor dat ik weg moest bij Mammabet? Naar een kindertehuis of zo? Je las zoiets wel eens in boeken. Maar dat wilde ik helemaal niet!

Ik hield het niet meer uit en holde naar beneden. Ik moest Gijsjan op andere gedachten zien te brengen voor het te laat was.

Maar toen ik binnenkwam, hoorde ik Mammabet vrolijk lachen. En Gijsjan zei: 'Ha, die Kai. Goed dat je er bent. We hebben iets met je te bespreken.'

'Ik ga niet weg!'

'Nee, natuurlijk ga je niet weg. Er komt juist iemand bij! Als jij het goed vindt, tenminste.'

Mammabet knikte. 'Een meisje, net zo oud als jij. Gijsjan zoekt tijdelijk een plekje voor haar. En wij hebben nog een kamer over, is het niet?'

Ik moest even slikken. Iemand erbij! Dan had ik Mammabet niet meer voor mij alleen. Maar aan de andere kant. . . sámen een geheime hut was misschien wel spannender. En dan hoefde ik ook niet meer alleen naar school te fietsen.

Gijsjan zag mijn verwarring. 'Je hoeft het niet meteen te weten. Maar er is wél haast bij.'

Toen vertrok hij. Ik keek hem na tot zijn rode autootje achter de berken was verdwenen.

Een drukke tijd brak aan. Toen eenmaal beslist was dat het nieuwe meisje komen zou, moest er van alles gebeuren. De zolderkamer werd opgeknapt en er kwamen vrolijke gordijnen voor de ramen. Als kroon op het werk maakte Mammabet een vlinderschilderij, het mooiste wat ze ooit gemaakt had. Zelf kocht ik een knuffelbeer. Die kostte me bijna al mijn spaargeld, maar goed... Dat meisje werd een soort zusje. En voor zusjes moet je nu eenmaal iets overhebben.

En toen kwam Elzebel. Met een koffer in haar ene, en een kussen in haar andere hand. Verder leek ze, met haar lange rode krullen, precies op de Rode Prinses uit een sprookjesboek van Mammabet. Maar dan wel op een bóze rode prinses.

Ze gaf geen hand maar liep stuurs achter Mammabet en Gijsjan aan de trap op, naar haar kamer. Ze smeet de koffer op het mooie nieuwe dekbed, trok het bijbehorende kussen weg en legde haar eigen kussen ervoor in de plaats. Daarna klapte ze de deur voor onze neus dicht. Daar stond ik dan met mijn knuffelbeer!

Mammabet trok me mee naar beneden. 'Laat haar maar even betijen,' zei ze. 'Ze trekt heus wel bij.'

Een uur later vertrok Gijsjan en Mammabet begon te koken. Maar toen ik naar boven ging om Elzebel te roepen voor het eten, hield ze de deur op slot. Het schilderij met de vlinder had ze buiten gezet.

'Maar als ze dan niet wíl, waarom kómt ze dan?' riep ik kwaad, toen ik alleen met Mammabet aan tafel zat.

'Tja...' Mammabet kruimelde verstrooid wat brood tussen haar vingers. 'Ik denk niet dat ze iets te kiezen heeft. Haar ouders hebben te veel problemen en kunnen de opvoeding niet aan. In zo'n geval beslist de kinderbescherming, of ze dat nu leuk vindt of niet!'

Toen pas voelde ik een klein beetje wat er in Elzebel om

moest gaan. Waar ik zélf bang voor was geweest, was háár gebeurd. Niet ik, maar zíj had weg gemoeten. Weg van haar ouders en van huis.

Maar hoe erg dat ook was, zo ging het niet.

Na drie dagen had Elzebel nog steeds niets gezegd. Wel kwam ze naar beneden om te eten, at met lange tanden haar boterham en vluchtte dan weer naar boven.

Gelukkig trok Mammabet zich er niet veel van aan. Ze bleef gewoon doorgaan met schilderen en koekjes bakken. En één keer, toen ze Elzebel hoorde schuifelen in de gang, zei ze keihard: 'Wat boffen we, hè Kai, met zo'n rustig kind in huis. Da's beter dan zo'n herrieschopper, vind je ook niet?'

Die opmerking was raak. Het duurde geen kwartier, of er kwam een oorverdovend lawaai van boven. Gebonk en gestamp, gegil en geschreeuw. Elzebel had haar radio keihard aangezet en stampte en krijste mee zo hard ze kon.

Mammabet schudde haar hoofd, glimlachte en schoof een appeltaart in de oven met heel veel rozijnen en heel veel kaneel. De zoete geur moet ook tot Elzebels kamer zijn doorgedrongen. Ze deed in elk geval open toen ik riep dat ik een stukje van die appeltaart kwam brengen...

Ik keek mijn ogen uit. De kamer was onherkenbaar veranderd. Op alle muren waren foto's van popsterren geprikt, jurken, broeken en sokken lagen overal verspreid, het bed was naar een andere plek geschoven. En op de plek van het vlinderschilderij hing een foto van een meisje op een pony.

Elzebel volgde mijn blik. 'Baaike,' zei ze. 'M'n kleine zusje. Die woont nu bij mijn tante Tets.' Dat was de eerste keer dat ik haar stem hoorde. Een donkere, hese stem.

Het werd een vreemde kerst met Elzebel. In plaats van de zachte, stemmige muziek die anders altijd in het huis met de Blauwe Berken klonk, bonkte nu housemuziek. Las Mammabet vroeger het kerstverhaal voor, bij kaarslicht en de open haard, nu keken we Star Wars op de televisie. Ik voelde me verloren. 'We hoeven toch niet de hele tijd háár zin te doen?' klaagde ik. 'Ik vind het zo geen kerst.' Maar Mammabet lachte en zei: 'Geduld, jongen. Het gaat toch al beter?'

Dat was waar. Ik mocht zelfs af en toe op Elzebels kamer komen. En beetje bij beetje kwam ik meer over haar te weten.

'Mijn vader en moeder hebben iets, een soort ziekte, depressie heet dat. Slecht weer, maar dan in je hoofd. Mijn moeder kookte nooit meer eten. Elke dag kregen we friet. Ik moest mijn zusje naar bed brengen, anders liep ze 's nachts om 12 uur nog rond...'

Zulke dingen vertelde Elzebel. Een andere keer begon ze over haar vader.

'Hij moet medicijnen slikken, hele zware. Als hij dat vergeet, dan doet hij gevaarlijke dingen. Gooit hij met asbakken en flessen... O, Kai!'

Elzebel sloeg haar hand voor haar mond, alsof ze nu zelf pas goed besefte wat er aan de hand was. 'Wie moet hem nou die medicijnen geven, nu ik er niet meer ben? Wie moet op mama passen? Straks gaat ie... O nee! Ze kunnen niet zonder mij! Ik moet naar huis, Kai!' Ze keek me wild aan. 'Kun je me wat geld lenen? Voor de bus?'

'Voor de bus?' Ik keek haar verbaasd aan. 'Ben je gek? Je kunt niet zomaar in je eentje vertrekken! Er zal heus wel iemand anders voor je vader zorgen. Trouwens, ik heb geen geld. Maar ik heb wel iets anders, dat moest ik je altijd nog geven!'

Ik rende naar mijn kamer en kwam terug met de beer. 'Voor jou,' zei ik trots. 'Zelf gekocht.'

Maar Elzebel deinsde terug. 'Kun je hem niet terugbrengen naar de winkel?' zei ze. 'Ik heb liever het geld.'

Nou zeg, leuk was dat. Wéér stond ik voor aap met die knuffelbeer. Ik smeet hem op Elzebels bed. 'Breng hem zelf terug!' riep ik. 'Stomme trut! Ik koop nooit meer iets voor jou! En nou ga ik naar beneden!'

Dat leek indruk te maken. Een half uur later verscheen ze in de huiskamer en speelde zelfs een potje rummycup met mij. Daarna wilde ze kaarten. Ik haalde het kaartpotje, boordevol stuivers en kwartjes en we kaartten wel een uur lang. Mammabet leek opgelucht en gaf me zo nu en dan een knipoog. Zie je wel, betekende dat, ik wist wel dat het goed zou komen!

Die nacht - had ik uren geslapen of was het maar heel even? - werd ik wakker van een ongewoon geluid. Ik ging rechtop in bed zitten en luisterde. Ja, ik hoorde het duidelijk. Gepiep, gestommel, zacht gerinkel. Het kwam van Elzebels kamer. Wat was ze toch aan het doen, zo midden in de nacht?

Ik stond op en luisterde aan haar deur. 'Elzebel,' riep ik zachtjes, 'wat is er? Kun je niet slapen?'

Maar er kwam geen antwoord. Ik voelde aan de klink. De deur was, zoals zo vaak, op slot. Ik klopte nog een keer. Het bleef stil. Nou ja, dan moest ze het zelf maar weten. Ik dook weer in mijn bed. Nog even luisterde ik, maar de geluiden waren opgehouden. En ik dommelde weer in.

Tot ik voor de tweede keer wakker schoot. Dit keer had ik een gil gehoord, maar die kwam van verder weg. Van buiten, ergens voorbij de bomen. Een kat misschien? Of een uil? Maar die hoorde je anders nooit in de winter...

Ik stond weer op, schoof het gordijn opzij en opende het raam. Ik rilde. Een kille wind greep me bij mijn keel. Eerder op de avond had het gesneeuwd, maar nu was de hemel weer helder en straalden de sterren koud licht. Toen hoorde ik het weer, een kreet en daarna een zacht gejammer.

Ik schoot in mijn sloffen en trok een trui over mijn pyjama. Op mijn tenen sloop ik de trap af en ging naar buiten. De sneeuw knisperde onder mijn voeten. Ik bleef staan, maar hoorde geen geluid meer. Wat nu? Ik speurde om me heen, en opeens zag ik voetstappen in de sneeuw. Voetstappen, even groot als die van mij. Toen pas begreep ik wat er aan de hand was.

'Elzebel!' riep ik. 'Waar zit je? Elzebel!'

Geen antwoord. Wel weer dat zachte gejammer, een eind verderop. Ik holde op het geluid af, voetstap naast voetstap. Eindelijk, daar was ze.

Ze lag in een greppel met mijn beer in haar armen, en kreunde van pijn. Het pad lag bezaaid met stuivers en kwartjes...

Toen ze me zag leek ze toch opgelucht en lachte een beetje. 'Verstuikt, denk ik,' zei ze, en wees naar haar voet. 'Ik had door de sneeuw die kuil niet gezien.'

'Idioot,' zei ik, 'je wou er echt vandoor hé?'

Elzebel knikte. 'Ik kan het niet,' zei ze. 'Gezellig bij jullie leven, terwijl mijn ouders zoveel verdriet hebben. Ze kunnen mij echt niet missen. Maar dat snapt niemand.'

'Jawel, ik.' Mammabet boog zich, als een goede toverfee, in

haar nachtpon over Elzebel. 'Wat zijn we dom geweest dat we jou niet beter hebben begrepen. Dat we dachten dat een mooi kamertje en een lekker stuk appeltaart de oplossing voor al jouw problemen zou zijn. Maar... jij bent ook dom geweest, Elzebel. Je had wel dood kunnen vriezen. Kom, ik draag je. En morgen bel ik Gijsjan, om te vragen hoe het met je ouders is.'

In optocht liepen we naar huis. De maan was opgekomen en zette alles in een sprookjesachtig licht. En toen zag ik het.

De berken. De berken waren blauw! Kwam het door de sneeuw, de stand van de maan, het uur van de nacht? Ademloos bleef ik staan.

'Mammabet,' fluisterde ik, 'kijk, de bomen, het geheim!'

Maar ze was al doorgelopen en tilde Elzebel voorzichtig over de drempel.

De grens

Theo Hoogstraaten

Op de hoofdweg naar het zuiden, een zwart asfalt-lint dat door een vrijwel kale vlakte loopt, gaan pluk-jes mensen op in een grote stroom vluchtelingen, tractoren met volgeladen karren erachter, fietsen en van alles wat rijden kan. Een enkele auto probeert toeterend te passeren, maar komt nauwelijks sneller vooruit dan de lopende vluchtelingen.

Timar begint al aardig moe te worden. Zijn voeten doen zeer en de draagband van zijn rugzak begint te knellen. Onder zijn hemd voelt hij zijn schetsboek tegen zijn buik plakken. Geluk-kig heeft mama niet gezien dat hij het stiekem meenam van-morgen en dat hij haastig wat kleurpotloden in zijn rugzak stopte. Hij hoopt maar dat hij de goede kleuren gekozen heeft.

Zijn moeder loopt met Isabel en Vesta een heel eind voor hem en opa uit. Als hij wil kan hij ze wel bijhouden, maar dan is hij veel eerder moe. Hij blijft liever bij opa. Opa loopt steeds langzamer en gaat zwaarder op zijn stok leunen.

'Opa, als papa geen soldaat was geworden, had hij dan nu met ons meegelopen?'

'Dat denk ik wel, Timar.'

'Maar buurman Yanez is niet gevlucht!'

'Hij hoeft niet bang te zijn, want hij hoort bij hen.'

'Buurman Yanez hoort toch bij ons dorp, net als papa en jij en mama. Waar hoort hij dan nog meer bij?'

Opa staat stil en zucht even diep. 'Hoe moet ik dat nou uitleg-gen, jongen. De vader van de vader van de vader van buurman

Yanez hoorde bij de mensen die ons nu het land uitjagen.'

'Buurman Yanez is dus onze vijand,' stelt Timar verbaasd vast. 'En hij is altijd zo aardig.'

Opa klemt zijn kaken op elkaar en begint weer te lopen. 'Het is moeilijk te begrijpen, Timar. Kom, we gaan verder, ik word stijf als ik te lang blijf staan.'

'Wil je nog een slokje water, opa?'

Er verschijnt een glimlach op opa's gezicht. 'Een kleintje dan.'

Timar haalt de fles met water uit zijn rugzak. Opa zet hem aan zijn lippen en neemt een paar slokjes. Daarna geeft hij Timar de fles terug. 'Mondjesmaat drinken, Timar. Je weet niet wanneer je de fles kunt bijvullen.'

Mondjesmaat drinken. Hij moet drinken alsof hij een mond heeft met een kleine maat, bedenkt Timar. Opa loopt nu wel heel erg langzaam. Ze worden voortdurend ingehaald, en niet alleen door gelukkigen die een tractor bezitten. Niet zo beentjesmaat lopen, opa, denkt hij, zo komen we er nooit.

Gelukkig wordt lang voor de avond valt de hitte getemperd doordat er wolken voor de zon schuiven. Opa lijkt hier moed uit te putten, want zijn tempo zakt niet meer terug. Een enkele keer staat hij even stil. Timar geeft hem dan de fles zodat hij een slokje water kan nemen, iedere keer een kleiner slokje, omdat de fles al voor driekwart leeg is. Halvemondjesmaat, denkt Timar. Omdat opa veel meer last van de warmte heeft dan hij, slaat hij stiekem een beurt over. Hij doet net of hij drinkt, want opa mag niet merken dat zijn slokje in de fles blijft zitten.

Hoeveel tijd er is verstreken en hoeveel stappen hij heeft gezet, weet Timar niet. Hij weet alleen dat hij opeens in de verte, bij een splitsing van wegen, zijn moeder en zijn zusjes ziet staan. Zodra ze hem en opa in de gaten krijgen, komen Isabel en Vesta naar hen toe hollen.

'Wat een geluk dat jullie er zijn,' zegt Vesta. Ze slaat haar armen om Timar heen en zoent hem op allebei zijn wangen. Het lijkt wel of er tranen in haar ogen staan.

'We zitten al meer dan twee uur te wachten,' vertelt Isabel. 'We waren heel erg ongerust. Mensen die langskwamen, vertelden dat de soldaten achter de vluchtelingen aan zitten om hun kostbare dingen af te pakken. Hoe komt het dat jullie zo laat zijn?'

'Opa loopt niet meer zo snel en moet vaak rusten.'

'Houd je het nog wel vol, opa?' vraagt Vesta.

'Als jullie het maar volhouden.'

De meisjes geven hem een arm en loodsen hem naar een plek, een stukje van de weg af, waar moeder in het gras zit uit te rusten. Uitgeput laat opa zich naast haar op de grond zakken. Timar heeft zijn moeder nog nooit zo ongerust zien kijken.

'Gaat het, vader?'

Het duurt even voordat opa antwoord geeft. 'Het spijt me, ik kan pas verder als ik een hele tijd heb gerust.'

'Het is hiervandaan nog drie uur lopen naar de grens, vader. Voor het donker wordt, kunnen we al een heel eind in de bergen zitten.'

Timar volgt met zijn ogen het pad waar zijn moeder naar wijst, een kronkelig pad dat hoger en hoger gaat, tot het tussen de bergen verdwijnt. In de verte trekt een tractor met een wagen erachter een spoor van stof over het weggetje. Vluchtelingen die door de tractor zijn ingehaald, wachten tot het stof is opgetrokken. Dan pas gaan ze verder. Als hij de andere kant op kijkt, ziet Timar over de asfaltweg een nieuwe groep vluchtelingen naderen.

'Ik kan voorlopig niet meer,' herhaalt opa. 'Gaan jullie maar

verder zonder mij. Morgenochtend zijn jullie in veilig gebied! Ik heb weinig te vrezen van de soldaten die achter de vluchtelingen aan zitten. Maar jullie...' Hij kijkt moeder en vooral Vesta veelbetekenend aan. 'Jullie moeten verder, zo snel mogelijk.'

'Hoor eens, vader, dat gaat echt niet. Wij...'

'Wil je dan wachten tot ze jullie hebben ingehaald, tot de soldaten jou en Vesta, en misschien zelfs Isabel..,' opa kijkt naar Timar, 'tot ze zich aan jullie vergrijpen?'

'Natuurlijk niet. Maar...'

'Gaan jullie alsjeblieft verder. Ik blijf bij opa, dan gebeurt er niets.' Het is eruit voordat Timar er goed over heeft nagedacht. 'Als opa uitgerust is, lopen we samen naar de grens.'

'Daar komt niets van in, Timar.' Zijn moeder aarzelt, dat hoort Timar aan haar stem.

'Ik red het wel, mama, heus. Gaan jullie nou maar voordat de soldaten jullie vergrijpen.' Wat een woord, denkt hij. Dat de soldaten zijn moeder en zijn zusjes grijpen, daarbij kan hij zich iets voorstellen, maar 'vergrijpen'? Het klinkt in ieder geval dreigend genoeg om mama en zijn zusjes zo snel mogelijk verder te laten lopen.

Opeens klinken er in de verte doffe knallen. Dan begint de horizon rood te kleuren. Hoog in de lucht janken twee straaljagers.

'Ze blazen onze huizen op.' Vesta houdt haar adem in. Haar ogen schieten vuur als ze met veel nadruk 'vuile rotzakken!' zegt. De straaljagers hebben een bocht gemaakt en gieren over hen heen, in de richting van de bergen, boven het pad dat naar de grens voert. Er klinkt een ratelend geluid. Tussen de bergwanden galmt een explosie.

'Jullie moeten verder,' zegt opa opnieuw, met heel veel nadruk deze keer.

'Ik zou me de rest van mijn leven schamen als ik je hier achterliet,' zegt moeder.

'Timar blijft bij me. Samen redden we het wel, dat hebben we vandaag al bewezen.'

'Denk je echt...' Het is het duwtje dat moeder nodig heeft.

Timar voelt iets van trots. Hij heeft opa goed gesteund vandaag en opa vertrouwt op hem. En als mama bij het afscheid 'pas goed op opa' in zijn oor fluistert, voelt hij zich bijna een man.

Zodra opa gaat rusten, haalt Timar zijn schetsboek onder zijn hemd vandaan. De kaft voelt vochtig aan van het zweet. Zal hij iets tekenen wat hij vandaag heeft meegemaakt, zijn vlucht uit het dorp of de eindeloze stroom vluchtelingen in de kokende zon? Hij kijkt naar opa die languit op zijn rug is gaan liggen, naast zijn stok. Opa's mond hangt een beetje open. In de verte kleurt de horizon van rood naar zwart, en dan weer naar rood. Vuur en rook, rook en vuur. Ze steken steeds meer huizen in brand. Opa die slaapt, terwijl zijn dorp in brand wordt gestoken, lijkt Timar een beter onderwerp. Hij begint in zijn rugzak te rommelen, op zoek naar zijn potloden. Een gele en een rode voor het vuur, een zwarte voor de rook. Gelukkig dat hij ze op het laatste moment uit de kleurdoos heeft gepakt. Geel en rood zijn eigenlijk kleuren voor vrolijke dingen. Maar nu is het oorlog, en dat verandert alles.

Timar schrikt wakker omdat de aarde onder hem begint te trillen. Het is al licht. Hij moet de hele nacht hebben doorgeslapen. Snel gaat hij overeind zitten en wrijft de slaap uit zijn ogen. Over de weg daveren twee tanks. De lopen van hun kanonnen wijzen niet recht vooruit, maar zijn naar links gedraaid, naar de grens. De tanks blijven de asfaltweg volgen. In de verte veranderen ze langzaam in zwarte, brommende torren.

Opa is ook wakker geworden. Hij pakt zijn stok en krabbelt overeind.

'Ben je voldoende uitgerust, opa?' vraagt Timar.

'Dat moet wel, hè. Heb ik echt de hele nacht geslapen?'

'Ja opa. Gisteravond, toen het nog licht was, heb ik een tekening van je gemaakt.' Trots laat Timar de tekening zien.

Opa kijkt lang naar de tekening. 'Prachtig. Berg maar goed op, voor later.'

Timar stopt het schetsboek onder zijn hemd. 'Zullen we gaan, opa, of wil je eerst wat drinken?'

'Straks. We moeten hier zo snel mogelijk weg.' Ongerust kijkt opa in de verte, waar kleine stipjes op de asfaltweg verschijnen. Opa gaat voorop, Timar volgt vlak achter hem. Het is drukkend warm, terwijl de zon nog niet eens hoog staat. Nergens is schaduw. Al snel begint Timar dorst te krijgen. Zou opa geen dorst hebben?

'Even stoppen, opa. Ik wil wat drinken.'

Opa tuurt naar de asfaltweg De donkere stippen erop zijn veel groter geworden. Het worden er bovendien steeds meer.

'Snel een paar slokken, Timar.' Hij helpt hem om de plastic fles uit zijn rugzak te halen. Hij is bijna vol. Gisteravond hebben Isabel en Vesta hem bijgevuld.

'Mondjesmaat, opa?' vraagt Timar.

'Een beetje meer dan. Vooruit.'

Naarmate ze hoger komen, wordt het pad steiler. Opa gaat moeizamer lopen. Hij begint aardig te hijgen, meer dan gisteren. Toch wil hij pas rusten als ze boven zijn. Timar geeft hem de fles met water. 'Neem maar een grote slok, opa. Ik hoef niet zo veel.'

Opa stribbelt niet tegen en zet de fles aan zijn lippen. Na een korte rustpauze wil hij weer verder gaan. Timar moet hem helpen om overeind te komen. Opa hangt op zijn stok en het kost hem de grootste moeite om naar boven te lopen. Dan hebben ze het hoogste punt van de weg bereikt en begint de lange afdaling naar de grens. Ze lopen langs verbrande tractors en een aan flarden geschoten wagen met huisraad, die half van de weg is gereden. Timar vangt een glimp op van lichamen, maar hij loopt snel door.

'De rotzakken, de gemene rotzakken!' Met een laatste restje energie weet opa zijn woede eruit te persen. 'Op het allerlaatste moment, in het zicht van de grens, weerloze mensen beschieten. Wat zijn dat voor monsters, wat...' Hij tilt in een woedend gebaar zijn stok op en zwaait ermee in de lucht. Uitgeput zakt hij in elkaar en blijft op de weg liggen.

'Opa.., opa!' Timar buigt zich over hem heen. 'Opa, opstaan. Je kunt hier niet blijven liggen.'

Opa geeft geen antwoord. Roerloos ligt hij op het pad, zijn rechterhand krampachtig om zijn stok geklemd.

Radeloos kijkt Timar om zich heen, op zoek naar hulp, hoewel hij weet dat die er niet is. Hij staat er alleen voor. Hij kijkt kwaad naar de van de weg geschoten wagen waar opa zich zo over opwond. Wat is dat? Ziet hij het goed? Uit de half verbrande spullen die naast de wagen liggen, steken twee wielen, kleine wielen met massieve banden en spaken. Met zulke wielen heeft hij vorige week samen met Deniz, de zoon van buurman Yanez, een racekar gemaakt, met een stuur en een rem.

Hij staat er al naast en trekt de wielen uit de rommel. Er blijkt een compleet onderstel aan vast te zitten, met vier wielen en een duwstang. Alleen de bak waarin spullen kunnen worden vervoerd, is verdwenen, kapotgeschoten misschien, of door de klap ver weg geslingerd. Hij heeft zo'n bak gelukkig niet nodig, als hij tenminste een paar planken kan vinden. Deniz heeft hem geleerd hoe hij blokjes op de onderkant van de planken moet schroeven zodat ze niet op het onderstel heen en weer gaan schuiven.

Tussen de kleren, de borden en de pannen, de dekens en de opengereten matrassen, ziet hij een ouderwetse leunstoel. De zitting is eruit gesprongen en ligt ernaast. Die kan hij misschien gebruiken in plaats van planken.

Eerst sleept Timar het onderstel naar het pad. Hij kan wel schreeuwen van vreugde als het nog goed blijkt te rijden. Hij legt een brok steen voor een wiel om te voorkomen dat het vanzelf naar beneden rijdt. Nu proberen of hij de zitting op het onderstel kan bevestigen. Hij past, en hij glijdt niet eens over de buizen heen en weer omdat er allemaal lange spijkers onder zitten.

Timar merkt niet dat het zweet van zijn voorhoofd in zijn ogen loopt. Voorzichtig rijdt hij zijn wagen vlak naast opa. Hij bukt zich en trekt aan opa's arm. 'Opa.., wakker worden. We moeten weer verder. Ik zal je rijden.'

Opa steunt en opent zijn ogen. 'Timar?' vraagt hij.

'Kom opa, opstaan. Je moet hierop gaan zitten. Ik kan je niet tillen. Je bent te zwaar. Je moet zélf opstaan.'

Opa draait zijn hoofd naar Timars kar. Hij begrijpt wat Timars bedoeling is. Met zijn laatste krachten werkt hij zich omhoog en ziet kans om op de kar te gaan zitten. Timar pakt

het handvat van de duwstang. Langzaam begint de kar te rijden. Veel hoeft Timar niet te doen. Opa's schoenen slepen aan weerszijden van de zitting over de grond en dat remt een beetje af. Timar moet alleen aan de stang gaan hangen als de kar té snel dreigt te gaan rijden of van de weg af dreigt te raken.

Opa zit met zijn gezicht naar Timar toe. Zijn rechterhand omklemt een buis van het onderstel. Als zijn ogen die van Timar ontmoeten, glimlachen ze. Zijn stok, die hij midden op het pad heeft laten liggen, wordt snel kleiner.

Eerlijk verdiend

Tineke Hendriks

Als ze het niet dacht! Daar begonnen ze weer. Kim ging rechtop in bed zitten en luisterde naar de boze stemmen onder haar.

'Ik doe het niet, al ga je op je kop staan.' Dat was haar moeder.

'Jij durft nooit iets!' riep haar vader.

'Nee, dan jij!' Dat was haar moeder weer, met een stem zo scherp als een glasscherf.

Kim slaakte een diepe zucht. Zo ging het al de hele week. Als zij in bed lag, begonnen haar ouders te ruziën. En dat terwijl ze eigenlijk nooit ruzie maakten. Ja, ze kibbelden wel eens over wie de vuilniszak buiten moest zetten bijvoorbeeld of over wie de hond moest uitlaten, maar nooit ging het zoals nu.

'Nee!'

'Ja!'

'Nooit!'

En tegen haar zeiden ze altijd dat ze niet mocht schreeuwen, maar rustig moest vertellen wat haar dwars zat. 'We kunnen er toch over praten, Kim,' zeiden ze dan.

Nu sloeg er iemand op tafel. Ze hoorde de kopjes rinkelen.

Geschrokken stopte ze haar hoofd onder haar dekbed. Beneden haar gingen de stemmen door. Luider. Bozer. En toen opeens de klap van de voordeur.

Kim schoot uit haar bed naar het raam en zag hoe haar vader met Teddy uitging. Ongeduldig trok hij aan de riem.

Ze wachtte even en ging toen op haar tenen de trap af.

Aan de tafel in de kamer zat haar moeder op een vel papier iets uit te rekenen. Mompelend telde ze cijfers op en onderstreepte de uitkomst. De streep onder de cijfers was net zo recht als de streep van haar mond.

'Mam?'

Haar moeder keek niet op. 'Ga slapen, Kim.'

'Maar...'

'Slapen!' zei haar moeder. 'Nu!'

Kim ging terug naar haar kamer en kroop in bed. Ze had het ijskoud, alsof ze uren in de sneeuw had gelopen.

De volgende morgen op school had ze rode, prikkende ogen en haar hoofd was zo zwaar dat ze het met twee handen moest ondersteunen. Vanuit de verte hoorde ze Barts spreekbeurt over de zonsverduistering. De meester gaf hem een acht.

De volgende was Martine. 'Ik doe mijn spreekbeurt over de Kindertelefoon,' begon ze.

Een paar jongens lachten, maar hielden op toen de meester zei dat alle lachers strafwerk konden krijgen.

Kim luisterde nauwelijks, maar toch ving ze af en toe iets van Martine op. De Kindertelefoon was elke dag bereikbaar van 2 tot 8 uur. Gratis. Je hoefde niet te zeggen wie je was.

Martine schreef het telefoonnummer op het bord. 0800-0432.

'Schrijf dat allemaal maar in je agenda,' zei de meester. 'Je weet nooit of je het nog eens nodig hebt.'

Automatisch deed Kim wat hij zei, maar het leek net alsof iemand anders het voor haar deed, zo afwezig voelde ze zich.

Als haar ouders vanavond weer ruzie maakten, dan zou ze... ze zou... Ja, wat zou ze eigenlijk? Ze luisterden toch niet naar haar.

Martine was klaar. Tijd om vragen te stellen. Peggy zat al met haar vinger te zwaaien. 'Over welke dingen mag je bellen?' vroeg ze.

'Over alles,' zei Martine, 'echt over alles.'

'Zeker over hoe je moet zoenen!' riep Thijs.

Martine knikte rustig. 'Ja, dat kun je ook vragen.'

'Dat weet ik allang,' riep Joost.

'Joost weet altijd alles,' zei de meester. 'Dat weten we allemaal. Weet je ook een vraag voor Martine, Joost?'

Joost grinnikte en haalde zijn schouders op.

'Je mag echt alles vragen,' zei Martine nog eens. 'Als je niets weet voor je vaders verjaardag bijvoorbeeld, maar ook wat je moet doen als je ruzie hebt of als je gepest wordt of als de meester niet eerlijk is.'

De meester deed net of hij schrok en dook weg onder zijn tafel. Iedereen lachte, zelfs Kim deed een beetje mee.

Toen de meester weer boven tafel kwam, zei hij: 'Om het helemaal eerlijk te doen, mogen jullie meedenken over Martines cijfer. Joost, wat heeft Martine verdiend, vind jij?'

De rest hoorde Kim niet meer. Zou je bij de Kindertelefoon ook kunnen vragen wat je moest doen als je ouders ruzie hadden?

Toen ze uit school kwam, lag er een briefje van haar moeder op tafel. *Ik ben weg, ik weet niet hoe laat ik terug ben.*

Kim kreeg het koud en de tranen prikten weer in haar keel. Ze slikte ze weg en zocht het nummer van de Kindertelefoon op. Het kon haar niets meer schelen. Ze deed het gewoon. Zouden ze het gek vinden? Nou ja.., je hoefde niet te zeggen wie je was. Ze zou gewoon zeggen dat ze Saskia heette.

Ze toetste het nummer in en legde toen snel weer neer.

Plotseling leken de ruzies van haar ouders niet zo erg. Net als bij de tandarts. Als je in de wachtkamer zat, had je opeens geen kiespijn meer.

Of toch wel? Ze stond nog bij de telefoon toen de buitendeur dichtsloeg. Snel ging ze op de bank zitten.

Haar moeder kwam de kamer binnen, maar liep direct door naar de kast waar ze in een stapel papieren begon te zoeken.

'Hoe was het op school?' vroeg ze over haar schouder.

'Goed,' zei Kim. 'We hadden spreekbeurten en Martine...'

'Ik moet nog even weg,' zei haar moeder en zwaaide met een papier. 'Ik ben over een uurtje terug.'

'Waar ga je naartoe?' vroeg Kim, maar haar moeder trok de deur al dicht. Met een klap viel hij in het slot.

De prop in Kims keel werd dikker. Haar moeder zei altijd waar ze heen ging en wat ze ging doen. Zonder nog verder na te denken, greep ze de telefoon en drukte op de herhaaltoets.

'Met de Kindertelefoon,' zei iemand.

Kim slikte en wist niet meer wat ze wilde zeggen.

'Hallo,' zei de stem in haar oor. 'Zeg het maar...'

Kim deed haar mond open, maar er kwam geen geluid uit.

'Weet je wat?' hoorde ze. 'Ik wacht gewoon even totdat je weet wat je wilt vragen.'

Het was een tijdje stil. Kim hoorde iemand rustig ademen.

Opeens was ze niet bang meer. 'Mijn vader en moeder hebben altijd ruzie,' zei ze toen.

'Ach jee...,' zei de stem. 'En hoe vind jij dat?'

'Stom natuurlijk!' zei Kim.

'Stom?'

'Ja, stom!'

'Vertel er eens wat over,' vroeg de stem. Het was de stem van een vrouw. Een aardige vrouw, dacht Kim.

Ze ging er eens goed voor zitten. 'Het is vooral 's avonds

als ze denken dat ik slaap, maar ik slaap nooit. Ik hoor alles! Ze schreeuwen en ze vloeken en ze smijten met spullen.'

Ze overdreef expres een beetje. Misschien geloofde die stem anders niet dat het heel erg was.

'En wat denk jij allemaal als je dat hoort?'

Ja, wat dacht ze allemaal? Kim aarzelde. 'Ik snap er niets van. Het heeft iets met geld te maken, geloof ik. Mijn vader wil iets en mijn moeder wil het niet. En als ze erover beginnen, krijgen ze steeds ruzie. Maar tegen mij zeggen ze altijd dat ik niet mag schreeuwen en ook dat je ruzies altijd weer goed moet maken.'

'Ik vind jou best slim, weet je dat?' zei de stem.

'Waarom?' vroeg Kim verbaasd.

'Omdat je doorhebt dat ze zich niet aan hun eigen regels houden.'

'Zo slim ben ik niet, hoor,' zuchtte Kim. 'Ik weet niet eens wat ik hieraan moet doen.'

'Wat heb je al geprobeerd?' Het leek alsof die mevrouw er ook eens goed voor ging zitten.

'Ik heb gezegd dat ze erover moeten praten en dat ze niet zo moeten schreeuwen, maar ze luisteren helemaal niet. En ik heb ook gevraagd waarover ze ruzie maken, maar dat zeggen ze ook niet.'

'Wil je echt weten waarover ze ruzie hebben?'

'Ja..' Kim wond het snoer van de telefoon om haar vinger. Het knelde een beetje. 'Want dan weet ik of het erg is... of ze gaan scheiden.'

'Ben je daar bang voor?'

'Ja, want dat wil ik helemaal niet. Meestal zijn ze hartstikke lief, hoor.'

Die mevrouw moest natuurlijk niet denken dat ze mishandeld werd of dat ze vreselijke ouders had.

'O, gelukkig. Dus je wilt eigenlijk alleen maar dat ze ermee ophouden?'

'Ja, dan kan ik tenminste slapen.'

'Misschien moet je het eens op een andere manier proberen?'

'Hoe bedoelt u?'

'Als je het gewoon zegt, luisteren ze niet, zeg je,' legde de stem uit. 'Misschien moet je het op een ongewone manier zeggen.'

'Maar hoe dan?' vroeg Kim. Ze giechelde. 'Met de televisie erbij?'

'Als we nu eens samen iets bedenken?' stelde de mevrouw voor. Achter Kim sloeg een deur dicht. Was haar moeder nu al terug?

'Ik moet ophangen,' fluisterde ze. 'Daag.' Haastig legde ze de telefoon neer. Haar hart klopte in haar keel.

Maar haar moeder kwam niet direct de kamer binnen. Ze hing haar jas op, schopte haar schoenen uit en ging naar de badkamer.

Kim staarde uit het raam. Slim. Het op een andere manier proberen? Ze haalde haar schouders op. Moest ze soms een reclamevliegtuigje huren? Of een cd'tje laten maken met een toepasselijke tekst? Ze hoorde haar vader al. *Doe die vreselijke muziek uit.*

Maar wat dan? Haar blik dwaalde door de kamer en viel op het briefje van haar moeder. Het lag middenop de tafel, zodat je het direct zag, zodat je het wel móest lezen.

Langzaam vormde zich een idee in haar hoofd.

's Avonds was het net als de avonden ervoor. Onder haar klonken de stemmen van haar ouders, eerst rustig, toen indringend en daarna luid.

Kim hoorde het een tijdje aan en stapte toen uit bed. Ze zocht een velletje papier en een pen en begon te schrijven.

rapport voor de ouders van Kim

schreeuwen 10
kinderen uit hun slaap houden 10
rustig over iets praten 0
ruzie goed maken 0

P.S. beter jullie best doen!

Ze vouwde het briefje dicht en ging toen zachtjes de trap af. In de gang waren de ruziënde stemmen nog duidelijker, maar ze luisterde er niet naar. Ze opende vlug de kamerdeur, gooide haar briefje naar binnen en trok de deur weer dicht.

Met een vaartje rende ze terug naar haar kamer.

Boven luisterde ze scherp naar de geluiden van beneden. Geen boze stemmen meer. Het was stil totdat... hoorde ze het goed? Schoot haar vader in de lach?

Even later klonken er voetstappen op de trap. Haar deur ging een stukje open en een wit papiertje dwarrelde de kamer in.

Op de rand van haar bed vouwde ze het open.

RAPPORT VOOR KIM

GELIJK HEBBEN 10

P.S. WE ZULLEN BETER
ONS BEST DOEN.

Kim glimlachte, legde het briefje onder haar kussen en kroop in bed. Beneden haar bleef het stil. Alleen hoorde ze af en toe wat stemmen en een keer zelfs een beetje lachen. Maar dat laatste wist ze niet eens zeker. Ze sliep al bijna.

In de straten van Cairo

Lydia Rood

'Doorlopen Martha, besteed er nou geen aandacht aan.' Rodney's vader liep door, maar zijn moeder kon het niet laten achterom te kijken naar het troepje kinderen dat in vuile T-shirts en gescheurde overhemden achter haar aankwam.

'Als je er ééntje wat geeft, laten ze je niet meer met rust,' snauwde zijn vader zonder om te kijken.

'Maar ze hebben op de auto gepast!' zei zijn moeder verontwaardigd. 'Terwijl jij met die man zat te praten heb ik naar buiten gekeken, en ze pasten écht op de auto!'

Zijn vader liet de sloten van de huurauto openspringen en Rodney stapte in. Sinds ze in Cairo waren, hadden zijn ouders ruzie. Ze konden niet tegen het lawaai: het geschreeuw van ruziënde mannen en marktkooplieden en het oorverdovende getoeter waar geen ontkomen aan was, en ook niet tegen het onophoudelijk gebedel en de warmte. Zelf had Rodney last van de vieze dikke lucht waarin het koolmonoxidegehalte zó hoog was, dat hij voortdurend hoofdpijn had. Zijn vader had hoog opgegeven van de musea, de piramiden en de *soek*, die rotmarkt waar Rodney's portemonnee gerold was. Maar de ware reden dat ze hier waren was zakelijk, dat wist hij heus wel. Zijn vader ging nooit zómaar op vakantie.

Zijn ouders waren ingestapt, nadat zijn moeder nog gauw een van de jongens een fooi gegeven had. Degenen die niets gekregen hadden verdrongen zich bij haar portier zodat ze

het niet dicht kon krijgen en hielden haar met smekende ge-
zichten jasmijnkransen voor.

'Gewoon wegrijden papa,' zei Rodney. En mompelend: 'En
meteen maar door naar het vliegveld.' Rodney vond Egypte
best interessant, maar hij bekeek de plaatjes liever op Inter-
net, rustig op zijn eigen kamer. Daar rook het lekker en je
handen gingen er niet van stinken en je oksels prikten niet
van het zweet en niemand schreeuwde in je oren om *baksjiesj, mister!*

Ze sloegen af naar het hotel, godzijdank. Achter de glim-
mende hekken heerste tenminste enige rust. Rijke Egyptena-
ren genoten er van een drankje en toeristen kwamen er op
adem.

'Ik wil me eerst opknappen en dan wil ik buiten eten,' zei
zijn moeder.

'We eten met Karim Gharib,' zei zijn vader kortaf.

Rodney wist al wat er nu ging komen.

'En je zoon dan?'

Ze liepen door de lobby en wachtten op de lift. Zijn vader
speelde met de sleutelkaart.

'Rodney kan iets van roomservice laten komen en televisie
kijken.' Zijn vader zuchtte. 'God, wat verlang ik naar een
douche.'

Rodney glipte zijn eigen kamer binnen; hij had genoeg van
dat gezeur. Hij lag in zijn onderbroek op bed televisie te kijken toen zijn moeder aan de deur tikte.

'Wij gaan schat. Niet te lang opblijven hoor.'

Toen was hij alleen en was er opeens niks meer aan om televisie te kijken - er was toch alleen maar politiek geklets in het
Arabisch. In die taal kende hij alleen de woorden *baksjiesj* en
la, sjoekran: 'fooi' en 'nee, bedankt'. Hij wachtte nog op een
kans om iemand te vragen wat 'Rot op' in het Arabisch was.

Hij trok een korte broek en een T-shirt aan, deed de televisie uit en stak de sleutelkaart in zijn zak. Eerst wat drinken op het terras en dan ruim eten bestellen. Als ze hem lieten zitten dan zou hij het ervan nemen ook. Even later zat hij achter een glas alcoholvrij bier, met een mandje Turks brood en een schaaltje sesampasta en bekeek het gedoe op het terras.

Een tafeltje verderop zat een tengere, bleke Europeaan van een jaar of veertig met een jongen die zijn zoon zou kunnen zijn maar dat vrijwel zeker niet was. De donkere jongen was netjes gekleed, maar aan de achterkant van zijn hemd stak nog een prijskaartje naar buiten. Die kleren had hij vast van die Europeaan gekregen. De man ving zijn blik, glimlachte en stond op. Zin in gezelschap? gebaarde hij.

Rodney's eerste impuls was heftig nee te schudden, maar hij bedacht zich. Het kon wel komisch zijn om die twee eens van dichtbij mee te maken. Hij wees naar de vrije stoelen aan zijn tafeltje, de man schoof aan en wenkte zijn tafelgenootje, dat gedienstig hun glazen meebracht.

De man zei iets in het Arabisch tegen hem. Rodney keek hem verbaasd aan. Opeens begreep hij het misverstand. De kleren die hij aanhad waren niet nieuw, zijn huid was gebruind op het strand van Alexandrië en zijn haar en ogen waren donker; voor hetzelfde geld was hij er net zo een als dat straatjoch dat een maaltijd kwam bietsen.

'Ik kom uit York. Ik ben hier op vakantie met mijn ouders.'

De man bloosde. De jongen maakte een klein gebaar met zijn hand dat kennelijk niet voor een van hen bedoeld was. Rodney volgde zijn blik. Buiten het hek stond een jongen met een schoenpoetskistje te wachten op een kans om onder de toeristen klandizie te zoeken. Misschien waren ze vrienden.

De man wilde Heinz genoemd worden en de jongen heette

Hoessein. Hij was waarschijnlijk maar een paar jaar ouder dan Rodney.

'Heinz en Hoessein,' lachte de man, 'is dat geen mooie combinatie?' Hij bestelde nog wat te drinken voor iedereen en Rodney kreeg bij vergissing echt bier.

Opeens bukte Hoessein zich naar de schoenen van de man en begon met zijn nagel iets weg te krabben. Heinz legde een hand op zijn schouder en kneep er even in.

'Laat toch,' zei hij, 'daar staat een schoenpoetser.' Hij wenkte de portier bij het hek en vroeg hem de jongen binnen te laten.

Toen Hoessein opkeek, zag hij er zó onschuldig uit, dat Rodney bijna in de lach schoot. Maar Heinz scheen niets in de gaten te hebben. De schoenpoetser haalde met veel vertoon twee borstels en een doekje uit zijn mooi versierde kistje. Hij zei iets in het Arabisch tegen Rodney - ook hij zag hem kennelijk voor een landgenoot aan. Vlak voor de jongen klaar was - zijn handen schoten zo snel als de vleugels van een kolibrie heen en weer over de schoenen van de man - vroeg Heinz of ze honger hadden: 'Ik trakteer!'

Hoessein knikte, Rodney bedankte beleefd. Heinz legde zijn hand in de nek van de schoenpoetser.

'Ik bedoel jou ook. Hoe heet je?'

Het was belachelijk. De jongen had niets dan vodden aan zijn lijf. Die zou nooit toegelaten worden in de sjieke eetzaal.

'*Kowad!*' zei het schoenpoetsertje zó fel, dat Rodney dacht dat het wel: 'rot op' zou betekenen. Heinz verstond het kennelijk niet.

De jongen klapte zijn kistje dicht, deed een stap achteruit en wachtte tot hij zijn geld zou krijgen. Met een zucht gaf Heinz het hem. De jongen draaide zich om, op zoek naar nieuwe klanten. De portier, die hem scherp in de gaten hield, maakte aanstalten om hem weg te jagen.

Rodney dronk zijn glas leeg en stond op. 'Hij is mijn gast,' zei hij tegen de portier, en tegen de jongen zei hij: 'Heb je zin om mee naar binnen te gaan? Eten?'

De jongen keek hem wantrouwend aan. Opeens wilde Rodney heel graag dat de jongen met hem mee zou gaan, hij wist zelf niet waarom. Misschien omdat hij die Heinz bijna was aangevlogen. Die jongen had eergevoel.

'Hoe heet je?' vroeg Rodney.

De jongen aarzelde.

'Imad.'

'Kom mee naar boven. Dan bestellen we biefstuk met patat. Mijn vader en moeder komen vannacht pas thuis.' Rodney keek naar Imads gezicht. Had hij het begrepen?

Hoessein en Imad voerden een snel gesprekje, en Rodney zag dat Imad hem nu vertrouwde. Ze liepen naar binnen, waar heel wat wenkbrauwen omhoog gingen. De receptionist riep '*Excuse me!*' maar Rodney negeerde hem. In zijn kamer gooide hij Imad meteen een spijkerbroek en een pas gestreken overhemd toe. Imad begreep het meteen, griste de kleren naar zich toe en begon ze aan te trekken. Rodney zag dat hij geen onderbroek aan had en draaide zich om naar het raam. Toen Imad klaar was, zette hij de televisie op het spelletjeskanaal. Imad scheen meer belangstelling te hebben voor het bed.

'Probeer maar eens,' zei Rodney. Toen keken ze tegelijk naar Imads vuile voeten. Rodney lachte: 'Kan jou het schelen joh, de lakens worden elke dag verschoond.'

Imad scheen het te begrijpen, liet zich vallen en propte twee kussens in zijn rug.

'Wat voor bed heb je thuis dan?' vroeg Rodney.

'Ik slaap op straat,' zei Imad.

Tja. Omdat hij niet wist wat hij moest zeggen vroeg hij:

'Leer je me schoenen poetsen?' Hij ging door de tussendeur naar de kamer van zijn ouders om geschikte schoenen te halen. Imad beduidde dat hij ze aan moest trekken, en toen Rodney instappers maat vijfenveertig aan zijn voeten had, kregen ze de slappe lach. Imad liet hem langzaam zien hoe het ging. Rodney liet zijn vingers over het versierde deksel van het schoenpoetskistje gaan.

'Mooi kistje.'

'Heeft mijn moeder voor me gekocht. Ze is nu dood.' Hij gaf Rodney de borstel en streelde het deksel. 'Zonder dit...'

Het werd stil - ze dachten allebei aan Hoessein.

'Doet hij dat vaak?' vroeg Rodney tenslotte. 'Hoessein? Zoals eh... met die Heinz?'

Imad haalde zijn schouders op.

'Hij moet wel.' Er trok een rilling over zijn rug. 'Maar gelukkig hoef ik dat niet.'

Gegeneerd greep Rodney de afstandsbediening en liet Imad zien hoe zijn favoriete spelletje ging.

'Zie je? Nu jij.'

Imad was in slaap gevallen.

Opeens had Rodney de pest in. Had hij eindelijk gezelschap, viel dat joch in slaap.

Hij keek een tijdje televisie, er was een verslag van het staatsbezoek van de nieuwe koning van Marokko. Al dat goud, al die limousines, dacht Rodney vaag. Hij geeuwde, hij verveelde zich. Hij belde roomservice en bestelde biefstukken, patat en bananasplits. Hij zou maar even een douche nemen. Als het eten kwam, werd Imad wel weer wakker.

Maar toen hij zich uitgekleed had, viel zijn oog op de kleren die Imad had laten vallen. Ineens kreeg hij een ontzettende zin om iets geks te doen. Misschien kwam het door het bier. Hij trok snel Imads kleren aan en hing het schoenpoetskistje

om zijn nek. Zachtjes - hij wilde nu niet meer dat Imad wakker werd - ging hij naar de gang. Hij aarzelde even. Zou hij echt... Maar wat kon het voor kwaad? Imad zou wel op hem blijven wachten als hij zag dat zijn kistje weg was. Even snel, vlak bij het hotel blijven, één klant proberen te krijgen, gewoon voor de grap, om te zien of het moeilijk was.

Zo snel mogelijk liep hij op zijn blote voeten de grote hal door, die opeens heel anders aanvoelde, te groot, te sjiek. De portier en de *bellboys* keken hem giftig aan. Hij haastte zich over het terras; Heinz en Hoessein zaten er niet meer. Het was donker geworden, maar lampen verlichtten perken en waterpartijen. De portier bij het hek - het was nu een andere - schold hem uit in het Arabisch.

'*Kowad*,' zei Rodney fier.

Hij kreeg helemaal geen klanten. Hij probeerde het bij een ander hotel in de buurt, maar iedereen keek door hem heen of hij lucht was. Tenslotte werd hij weggejaagd. Hij liep nog een eindje, maar de broek van Imad, die stijf stond van het vuil, begon in zijn liezen te schuren en hij was niet gewend om op blote voeten te lopen. Het was nu wel leuk geweest, het eten zou intussen wel gekomen zijn. Jammer dat hij niet een paar pond had kunnen verdienen voor Imad. Knap dat die jongen erin slaagde in leven te blijven zonder te bedelen.

De portier bij het hek wilde hem er niet in laten.

'Maar ik logeer hier!' zei Rodney in zijn meest bekakte Engels. 'Mijn vader is *mister* Harvey! Kamer 810.' Hij haalde zijn sleutelkaart te voorschijn. De portier boog zich voorover om hem te bekijken, griste hem toen uit zijn handen en ging in het Arabisch tegen hem tekeer. Rodney kreeg de kaart niet terug. Tenslotte ging hij een eindje verderop tegen het hek zitten. Hij hoefde alleen maar te wachten tot zijn ouders terug kwamen.

Toen stopte er een politiewagen. De portier wees naar Rodney, de mannen in uniform kwamen kwaad op hem toe. Toen Rodney weigerde weg te gaan, pakten ze hem beet.

'*Kowad!*' riep Rodney wanhopig. Maar dat maakte de agenten alleen maar woedend; ze propten hem in de auto en reden met scheurende banden weg. Hij moest ze omkopen!

'*Baksjiesj!*' zei hij dringend, 'een grote *baksjiesj* als jullie me terugbrengen.' De agenten reageerden niet.

Ergens in het centrum stopten ze. De mannen praatten in rap Arabisch op hem in - waarschijnlijk dreigden ze hem op te sluiten als hij nog eens bij het hotel werd aangetroffen. Toen zetten ze hem de auto uit. Het asfalt brandde onder zijn voetzolen. Hij had honger en voelde zich vies.

Het was laat, maar Cairo kwam nooit tot rust. Om hem heen denderde de stad maar door. Hij had geen idee waar hij was. Ergens in deze miljoenenstad waren zijn ouders - maar waar?

De ambassade zou gesloten zijn. Er zat niets anders op dan het weer bij het hotel te proberen... Hij stak zijn arm op voor een taxi. De eerste drie reden hem voorbij. Tenslotte stopte er een gammel geval.

'Hilton Hotel,' zei Rodney. De man bekeek hem, begon te lachen en hield zijn hand op.

Er zat geen geld in Imads zakken.

'Ik betaal u bij het hotel, eerlijk!' zei Rodney.

De taxichauffeur lachte schamper en trok op. Zwart uitlaatgas spoot in Rodney's gezicht.

Hij moest schoenen poetsen om genoeg te verdienen voor een taxi.

Of de rit bij elkaar bedelen.

En anders...

Waar sliep Imad?

De Stichting Kinderpostzegels Nederland is het kinderfonds dat jaarlijks financiële ondersteuning biedt aan zo'n 1.000 projecten voor groepen kwetsbare kinderen. Dat zijn bijvoorbeeld kinderen met een handicap, straatkinderen, kinderen die het slachtoffer zijn van (seksueel) geweld of uitbuiting, werkende kinderen en kinderen die leven in zeer arme omstandigheden. Om dit werk te kunnen doen is natuurlijk veel geld nodig. Dat geld wordt ingezameld via de Kinderpostzegelactie. Het motto daarbij is: voor kinderen, door kinderen. De Kinderpostzegelactie wordt voor een belangrijk deel gedragen door schoolkinderen en de opbrengst van de actie is bestemd voor kinderen die het minder goed hebben getroffen. Ook bij de besteding van het geld is de inbreng van kinderen belangrijk. Kinderen weten namelijk zelf vaak heel goed welke voorzieningen nodig zijn om hun leefsituatie te verbeteren. Belangrijk uitgangspunt voor de Stichting Kinderpostzegels Nederland is het VN Verdrag voor de Rechten van Kind. Het opkomen voor en het bewaken van de rechten van kinderen vormt het richtsnoer bij de beoordeling van subsidieaanvragen. Een overzicht van de aanvragen die door de Stichting Kinderpostzegels Nederland worden gesteund, staat op de website www.kinderpostzegels.nl. Daar kunnen ook Kinderpostzegels en kaarten worden besteld.

Voor kinderen door kinderen

Een uitgave van Sjaloom,
Postbus 1895, 1000 BW Amsterdam
in opdracht van de Stichting
Kinderpostzegels Nederland.

Ontwerp
Taluut, Utrecht

Verspreiding voor België
uitgeverij Bakermat, Mechelen